LA COMPAGNIE AÉRIENNE

DEBORAH FOX

L'élan vert

Titre original : *For an Airline*.

Traduction de Kristine Hourst.
Dépôt légal : août 1998, Bibliothèque nationale.
I.S.B.N. 2-84455-010-X

Exclusivité au Canada :

1815, avenue De Lorimier
Montréal (Québec)
H2K 3W6 Canada.
Dépôt légal : 3e trimestre 1998,
Bibliothèque nationale du Québec,
Bibliothèque nationale du Canada.
I.S.B.N. 2-89428-315-6.

Imprimé à Hong Kong.

SOMMAIRE

Le personnel naviguant commercial 8

Les mécaniciens au sol 10

L'enregistrement 12

Le personnel naviguant technique 14

Charger l'avion 16

Le décollage 18

Le poste de pilotage 20

Le confort des passagers 22

Les aiguilleurs du ciel 24

L'atterrissage 26

Index-Glossaire 28

Le personnel naviguant commercial

Je m'appelle Marc. Je suis steward sur un Boeing 767 d'une grande compagnie aérienne. Aujourd'hui, je pars pour Montréal. J'arrive à l'aéroport une heure avant le départ pour la réunion de préparation de vol dirigée par le chef de cabine. Nous y prenons connaissance de la présence d'enfants non accompagnés,

de personnes handicapées, ou des régimes alimentaires particuliers.

▲ *En montant à bord, le personnel naviguant commercial vérifie les équipements afin que tout soit bien en place.*

Un travail d'équipe

Pour ce vol, nous sommes 10 stewards et hôtesses de l'air sous la direction d'un chef de cabine. Ce dernier s'assure de la bonne marche du service, vérifie les documents de voyage et fait les annonces par haut-parleur. L'équipage assure les différents services pour le confort et la sécurité des passagers.

À la fin de ma scolarité, j'ai voulu travailler dans une compagnie aérienne. Après des entretiens positifs, j'ai suivi un stage intensif de six semaines, avec premiers secours, procédures de sauvetage, service en vol et utilisation des équipements.

Les mécaniciens au sol

Avant chaque vol, une équipe de mécaniciens assure la maintenance de l'avion. Ils font une inspection complète afin de repérer la moindre avarie, tel un aileron endommagé ou un pare-brise cassé par l'impact d'un oiseau. Les mécaniciens vérifient aussi la pression des pneus, les freins, les niveaux d'huile. Ils contrôlent le bon fonctionnement des moteurs.

◄ *Les pneus sont changés dès qu'ils sont usés, en moyenne après 150 atterrissages sur un long-courrier. Ce mécanicien vérifie le train d'atterrissage et l'état des pneus.*

▲ *Ce mécanicien vérifie le niveau d'huile du moteur.*

▼ *Il faut près de 40 mn pour remplir de carburant les réservoirs situés dans les ailes.*

Faire le plein

Les pétroliers remplissent les réservoirs du carburant nécessaire pour la destination prévue. Ils ajoutent un supplément au cas où nous serions détournés vers un autre aéroport. La plus grande partie est stockée dans les ailes, équitablement répartie des deux côtés de l'avion. Pour ce voyage nous avons besoin de 45 000 kg de carburant, soit l'équivalent de 1000 pleins pour une voiture.

Roues et pare-brise

- Les quatre roues du train d'atterrissage principal coûtent le prix d'une grosse voiture.
- Un avion a deux pare-brise : un à l'extérieur et un autre à l'intérieur.
- Un essuie-glace coûte environ le prix d'un magnétoscope.
- Des oiseaux peuvent heurter et briser le pare-brise.

L'enregistrement

Les enfants non accompagnés

Si un enfant voyage seul, il est pris en charge par une hôtesse au sol dès le comptoir d'enregistrement. Dans la salle d'embarquement, il est confié à une hôtesse de l'air ou un steward.

Les passagers commencent à arriver trois heures avant le décollage. Notre personnel d'enregistrement examine tous leurs documents de voyage : billets, passeports, visas. Il leur attribue des sièges, traite les demandes spéciales de place, étiquette et pèse tous les bagages. Le poids des bagages est enregistré sur ordinateur.

▼ *On peut réserver sa place en téléphonant à la centrale de réservations. Toutes les réservations sont enregistrées sur ordinateur et les billets sont émis et envoyés.*

Si des passagers arrivent 40 mn avant le décollage, on peut encore les accepter. C'est le contrôle de sécurité des bagages qui prend du temps.

Sabine, hôtesse au sol

Les contrôles de sécurité

Les bagages passent devant des appareils de détection afin de s'assurer qu'ils ne contiennent pas d'explosif. Les passagers et les bagages à main sont également soumis à des contrôles de sécurité.

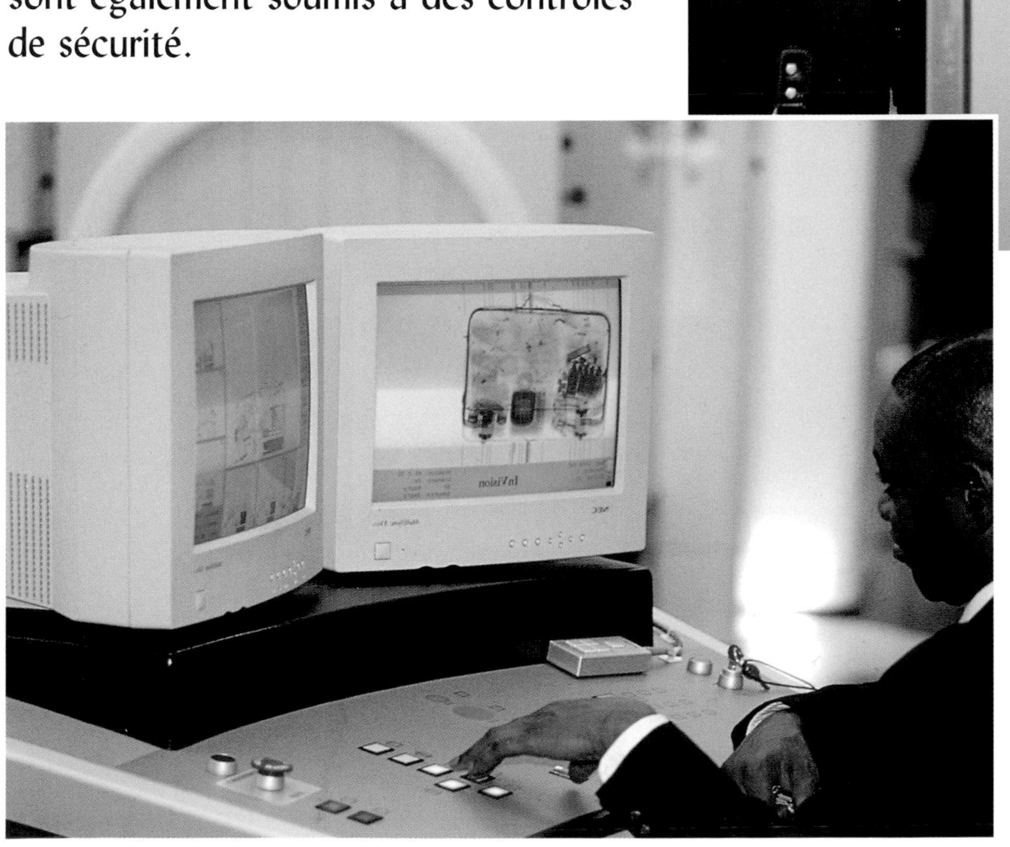

▲ 202 passagers sont attendus, aussi le personnel d'enregistrement doit travailler vite.

◄ Chaque aéroport possède une équipe de sécurité chargée de détecter tout objet ou substance irrégulier.

Le personnel naviguant technique

Une heure et demie avant le décollage, le commandant de bord et le copilote vont à la salle des opérations chercher leur plan de vol. Ce document contient toutes les informations nécessaires pour leur vol : itinéraire, altitude, vitesse, conditions météorologiques, nombre de passagers.

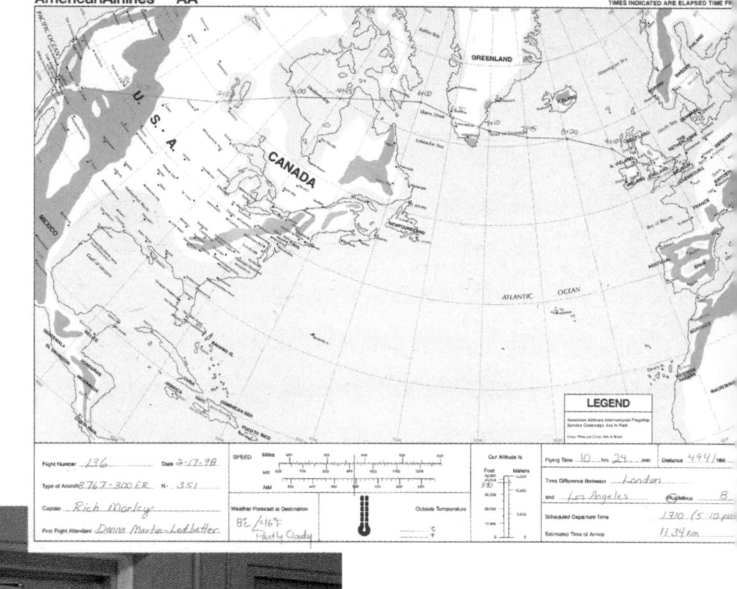

▲ Le plan de vol donne l'itinéraire et les escales du voyage.

◀ Le commandant de bord, à gauche, et le copilote vérifient la route à suivre donnée par le plan de vol.

◀ *Lors de la préparation des vols, un contrôleur vérifie les créneaux horaires et suggère d'autres routes en cas de retard du décollage.*

Le contrôle de la circulation aérienne

Tous les plans de vol sont transmis au centre de contrôle de la circulation aérienne. Ce centre les vérifie et donne l'autorisation de décollage dans un créneau horaire. Nous avons demandé un décollage pour une certaine heure, mais ce centre doit nous la confirmer.

L'altitude

- L'altitude à laquelle un avion vole est mesurée en pieds à partir du niveau moyen de la mer et non du sol.
- Lorsque notre avion vole à 35 000 pieds, il est à 10,7 km d'altitude.
- Il y a deux couloirs aériens réservés au Concorde à une altitude de 14,4 km.

Les couloirs aériens

Pour survoler l'Atlantique, notre avion doit suivre une route déterminée, appelée couloir aérien. C'est une sorte d'autoroute dans le ciel. Pour chaque vol, la compagnie demande une route au centre de contrôle. Il y a 26 routes, mais seules 8 sont habituellement suivies, et encore moins par temps clair. Ces routes sont identifiées par les lettres de l'alphabet : la route A comme alpha, B comme bravo, jusqu'à Z comme zebra.

▼ *Le copilote fait aussi un contrôle au sol avant le vol.*

Charger l'avion

Les bagages des passagers et le fret sont amenés dans des remorques. L'équipe de chargement travaille selon un plan informatisé qui leur montre la place exacte des bagages et marchandises afin de bien répartir les poids dans la soute : c'est le plan de charge. La plupart des bagages et du fret sont d'abord placés dans des conteneurs.

▲ *L'équipe de chargement décharge les bagages d'une remorque et les dépose sur la plate-forme élévatrice.*

◀ *Les conteneurs sont chargés dans la soute de l'avion grâce à une plate-forme élévatrice.*

▲ L'équipe d'entretien nettoie à fond la cabine de l'avion. Elle s'assure que rien n'a été oublié.

Le chargement

- Des remorques tirées par un tracteur sont utilisées pour transporter les bagages jusqu'à l'avion.
- Une plate-forme élévatrice automotrice monte les conteneurs vers la soute de l'avion.

Je travaille au chargement des bagages. J'aime conduire les tracteurs de remorques à bagages ou les plates-formes élévatrices.

Alex, agent de chargement

L'équipe d'entretien

La cabine de l'avion est entièrement nettoyée. Des agents remplissent les réservoirs d'eau potable, vident les toilettes. D'autres apportent les plats dans la cuisine. Des techniciens réparent les défauts notés sur un registre, le compte rendu des machines, qui reste dans l'avion.

Le décollage

L'embarquement

Une demi-heure avant le décollage, il est temps d'accueillir les passagers. L'équipe d'enregistrement vérifie à la porte d'embarquement qu'ils sont tous bien montés. Elle a aussi contrôlé les cartes d'embarquement. Le décollage ne se fera qu'après ce décompte. J'accueille les passagers à bord et les dirige vers leurs places. Je les aide aussi à ranger leur bagage à main.

▲ *Je dois vérifier que tous les bagages à main sont placés dans les casiers au-dessus des passagers.*

Les consignes de sécurité

Quelques minutes avant le décollage, je vérifie que mes passagers sont bien assis et qu'ils ont attaché leur ceinture. Puis, je prépare la vidéo sur les consignes de sécurité et indique où se trouvent les sorties de secours.

Avant chaque vol, nous demandons un poste de travail dans la cabine : par exemple les premières classes ou l'arrière de l'avion.

Corinne, hôtesse de l'air

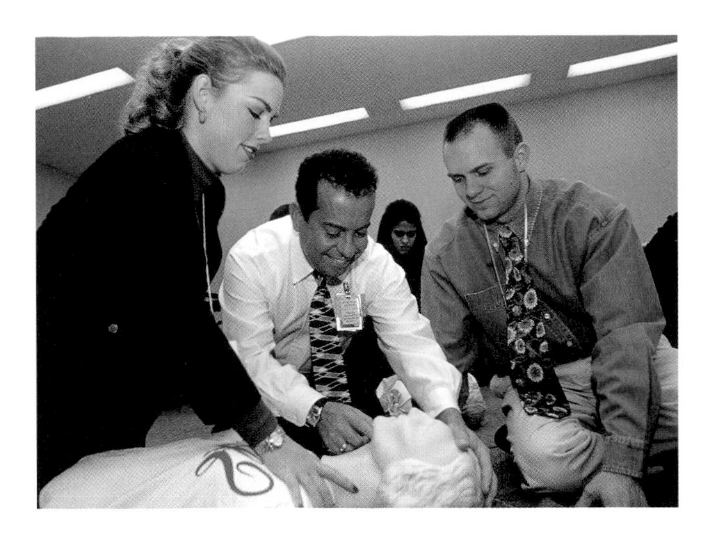

▲ Pendant notre formation nous apprenons à faire du bouche à bouche sur un mannequin.

La formation

- Assistance médicale et premiers secours : donner de l'oxygène, accoucher...
- Évacuation d'urgence.
- Amerrissage.
- Utilisation des canots de sauvetage et des toboggans gonflables.
- Service en vol de repas et de boissons.
- Utilisation des systèmes vidéo.
- Utilisation du système d'annonces à bord.

▼ Lors d'un stage, nous nous exerçons à l'évacuation d'urgence en cas d'amerrissage de l'avion. Dans une piscine, nous apprenons à utiliser les canots de sauvetage.

Le poste de pilotage

« Moteurs ? Vérifiés. Train ? Vérifié. Volets ? Vérifiés… » Le commandant et le copilote vérifient le bon fonctionnement de tous les équipements à partir d'une liste de contrôle. Sur ce vol, deux personnes, le commandant de bord et le copilote, peuvent faire voler l'avion. Mais il y a également le pilote automatique, un ordinateur qui prend en charge l'avion après son décollage. Le pilote automatique pourrait faire voler l'avion pendant tout son voyage. Cependant, à tout moment, les deux pilotes sont prêts à reprendre en main l'appareil.

▼ *Les pilotes s'entraînent dans le poste de pilotage d'un simulateur de vol.*

La formation de pilote

Chaque compagnie aérienne exige de ses pilotes entre 1000 et 1500 heures de vol. Les pilotes suivent des cours de formation intensive pendant un mois. Ils s'entraînent entre 75 et 100 heures sur un simulateur de vol.

▲ Un simulateur de vol.

Pour reculer

Un tracteur de piste pousse l'avion en arrière. Le commandant se prépare alors à rouler sur la piste dès que le contrôle de la circulation aérienne lui donnera son accord pour décoller.

Un simulateur de vol réagit comme un véritable avion pris dans des zones de turbulence ou des vents de travers lors de l'atterrissage. Nous nous y exerçons à toutes les procédures d'urgence : panne de moteur, incendie à bord, problèmes électriques ou train d'atterrissage refusant de sortir.

Louis, commandant de bord

▼ Après le recul, l'assistant avion s'écarte en bout d'ailes.

Les assistants avion

Quand un avion doit reculer, des assistants avion aident le commandant à voir la piste. Ces assistants marchent le long des ailes, portant des bâtons lumineux que le commandant peut voir du poste de pilotage.

Le confort des passagers

▲ Chaque membre de l'équipage obéit aux ordres du commandant et suit les consignes de sécurité.

« Décollage dans une minute ! » À ces mots du commandant de bord, nous regagnons les places réservées aux membres de l'équipage et attachons nos ceintures.

Les repas et boissons

Pendant le vol, nous avons un travail de routine. Nous servons des boissons avant d'apporter le premier repas. Les plats sont préparés à terre

◀ À terre, les chefs cuisiniers préparent nos repas en suivant des procédures strictes.

▲ Nous avons des fours spéciaux pour réchauffer les plats dans l'office.

et embarqués au dernier moment. Avant de les servir, nous les réchauffons dans l'office où sont stockés tous les aliments. Puis, nous plaçons les plateaux dans nos chariots.

Les repas

- Le commandant et le copilote font plusieurs repas pendant le vol.
- En un mois, notre traiteur nous fournit plus de 25 000 repas pour nos vols Paris-Montréal.

Le cinéma à bord

Après avoir servir le thé et le café, un membre de l'équipage prépare une cassette vidéo pour projeter un film. Nous ramassons les plateaux et les replaçons dans les chariots. Lors de notre arrivée à Montréal, ils seront lavés dans des machines spéciales pour être réemployés.

Nous pouvons proposer plusieurs types de repas : menus végétariens, cashers ou pour enfants.

Les aiguilleurs du ciel

Tout au long du vol, le commandant de bord donne la position de l'avion au centre de contrôle de la circulation aérienne. Les contrôleurs sont des aiguilleurs du ciel qui veillent sur des centaines de vols à la fois.

« Nous sommes à l'heure et la visibilité est bonne », envoie par radio le commandant de bord au centre de contrôle de la circulation aérienne. Tout au long du vol, le commandant et le copilote peuvent être joints par le centre de contrôle qui connaît la position exacte de l'avion.

Chaque appareil a un code d'identité de quatre lettres. Si le centre a besoin de le contacter rapidement, il lance un appel d'urgence : le contrôleur compose le code et un avertisseur retentit dans le poste de pilotage. Les pilotes entrent alors en contact avec le centre. Si les pilotes ont besoin de renseignements techniques, ils établissent eux-mêmes la liaison avec le centre de contrôle.

Tous les messages radio des différents vols sont enregistrés et conservés trois mois.

Nous savons tout ce qui arrive. Nous avons une image synthétique, à l'inverse des autres départements qui ne voient que leur propre problème.

Gilles, aiguilleur du ciel

La tour de contrôle

« Nous allons effectuer notre descente, s'il vous plaît regagnez vos places et attachez vos ceintures », annonce le chef de cabine.

Le commandant est maintenant en contact avec la tour de contrôle de l'aéroport de Montréal. Cette dernière s'assure que toutes les règles de vol sont respectées par les pilotes et contrôle l'approche des avions. La tour nous indique notre zone d'attente et notre piste d'atterrissage.

Balises d'atterrissage

Quand les pilotes approchent de la piste, ils peuvent vérifier leur altitude par la couleur des balises d'atterrissage.

- ○○ / ●● bonne altitude
- ○○ / ○○ avion trop haut
- ●● / ●● avion trop bas

L'atterrissage

Pendant presque tout le voyage, le commandant de bord a utilisé le pilote automatique. Lors de l'approche pour l'atterrissage, le copilote prend les commandes manuelles. Il doit effectuer des virages avant de décoller ou d'atterrir. Il relève le nez de l'avion pour que le train d'atterrissage touche doucement la piste. Et, en atterrissant, il inverse la poussée des réacteurs pour ralentir l'avion.

« Veuillez conserver votre ceinture attachée jusqu'à l'extinction du signal lumineux », demande le chef de cabine. À l'arrêt complet de l'avion, nous nous plaçons devant les sorties pour souhaiter un agréable séjour aux passagers.

▼ *Tous les bagages sont déchargés par le personnel au sol.*

▲ *Après la sortie des passagers, je rejoins le chef de cabine pour un compte rendu.*

Le décollage exige beaucoup de concentration, mais l'atterrissage est le moment le plus critique.
Louis, copilote

▲ *La tour de contrôle de l'aéroport surveille les vols provenant du monde entier.*

L'arrêt des réacteurs

Quand l'avion est sur l'aire de stationnement, le commandant et le copilote effectuent les derniers contrôles. Le commandant informe le personnel au sol que l'électricité est coupée à bord. L'équipe, qui vient nettoyer la cabine et s'occuper de la maintenance, doit alors brancher un groupe électrogène extérieur.

Le compte rendu

Dès que l'avion est vide, nous ramassons nos affaires et le quittons aussi.

Après chaque vol, le personnel naviguant commercial se réunit avec le chef de cabine pour évoquer les problèmes ou simplement confirmer que tout s'est bien passé.

J'ai une journée de repos avant mon prochain vol pour Paris. J'ai l'avantage de voyager. J'aime visiter des lieux nouveaux et passer mon temps dans des villes différentes. J'ai demandé à voler le mois prochain sur un autre itinéraire, ce sera passionnant.

Index-Glossaire

aiguilleur du ciel : contrôleur de la navigation aérienne. 24.
aileron : volet articulé placé à l'arrière de l'aile. 10.
amerrissage : action de se poser à la surface de l'eau. 19.
assistant avion, 21.

centre de contrôle de la circulation aérienne : centre d'information, de télécommunications et de contrôle pour le trafic aérien. 15, 21, 24.
chef de cabine : personne qui dirige les stewards et les hôtesses de l'air dans un avion. 8, 25, 26, 27.
commandant de bord, 14, 20, 21, 22, 23, 24, 25, 26, 27.
comptoir d'enregistrement, 12.
conteneur : grosse caisse métallique où sont déposés bagages et marchandises ; on dit aussi container. 16.
contrôle de sécurité, 13.
copilote : pilote qui seconde le commandant de bord. 14, 15, 20, 21, 23, 24, 26, 27.
couloir aérien : route aérienne de 20 km de largeur et limitée en altitude. 15.

escale : lieu d'arrêt d'un avion ou d'un navire pour embarquer ou débarquer des passagers ou des marchandises. 14.

fret : marchandises. 16.

hôtesse au sol : personnel qui, dans un aéroport, guide les passagers, s'occupe de leurs bagages, de leurs billets. 12.

groupe électrogène, 27.

hôtesse de l'air : personnel féminin naviguant qui s'occupe des passagers dans un avion. 9, 12.

maintenance : révision et entretien nécessaires pour un avion ou tout autre véhicule. 10, 27.
mécanicien au sol, 10, 11.

office : local où se prépare le service des repas. 22, 23.

pétrolier : personnel qui remplit de carburant les réservoirs. 11.
pilote automatique : ordinateur qui assure le pilotage sans intervention de l'équipage. 20, 26.
piste, 25, 26.
plan de vol : toutes les informations pour le vol d'un avion. 14, 15.
plate-forme élévatrice, 16, 17.
poste de pilotage : cabine de pilotage d'un avion. 20, 21, 24.

remorque à bagages, 16, 17.

salle d'embarquement, 12.
soute : compartiment à fret. 16.
steward : personnel naviguant masculin qui s'occupe des passagers dans un avion. 8, 9, 12.
tour de contrôle : centre surélevé où des aiguilleurs du ciel effectuent le contrôle des activités d'un aéroport. 25, 27.
tracteur de piste, 17, 21.
train d'atterrissage : ensemble de roues escamotables qui se replie à l'intérieur du fuselage de l'avion et qui, sorti, permet au pilote de se poser. 10, 11, 21, 26.

zone de turbulence : zone d'agitation de l'atmosphère. 21.